COLLECTION
Cascade

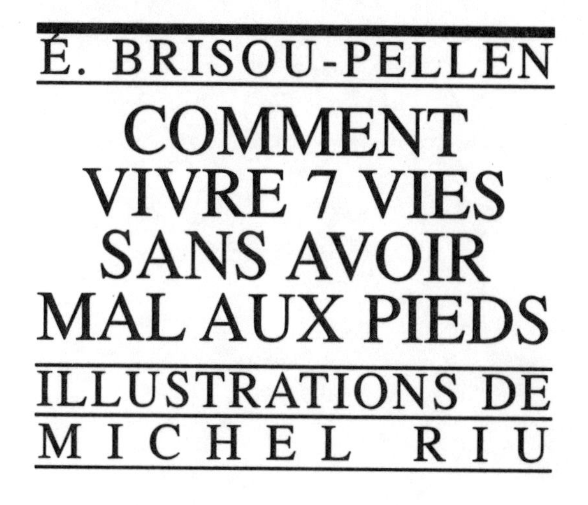

É. BRISOU-PELLEN

COMMENT VIVRE 7 VIES SANS AVOIR MAL AUX PIEDS

ILLUSTRATIONS DE MICHEL RIU

RAGEOT-ÉDITEUR

Collection dirigée par Caroline Westberg

Couverture : Isabelle Dejoie
ISBN 2-7002-2467-1
ISSN 1142-8252

Pour Jeannette.

AH NON !

Tout cela a commencé par ma première vie.

Évidemment ! me direz-vous.

Dans ma première vie, j'étais garçon de café. Je ne sais pas comment j'en étais arrivé là, parce que ça ne me plaisait pas du tout, et que je n'étais pas fait pour ce métier.

Dans ce métier, on est debout sans arrêt, on marche du matin au soir, il faut avoir l'œil vif pour remarquer les signes que font les clients, le poignet souple pour porter le plateau, une bonne mémoire pour se rappeler les commandes.

Moi, je n'aimais pas rester debout, ni marcher, je n'arrivais pas à remarquer les signes des clients, ni à porter un plateau sans renverser les verres. Quant aux commandes, je les mélangeais sans arrêt, et je réclamais au bar « un chocolat avec une rondelle de citron » ou « un croque-monsieur avec une paille ».

Heureusement, les clients étaient tous des habitués, ils me connaissaient depuis longtemps, et n'en demandaient pas trop.

Certains même mangeaient sans rien dire ce que je leur apportais en pensant que finalement, c'était peut-être meilleur pour leur santé.

Donc, tout cela ne me gênait pas vraiment.

Ce qui m'ennuyait le plus, c'est que j'avais constamment mal dans le dos et des bourdonnements d'oreilles.

Je finis par aller consulter un médecin.

– Je vois, je vois, me dit-il. C'est à force de porter un plateau à bout de bras, toujours de la même main.

Il me recommanda de changer de main.

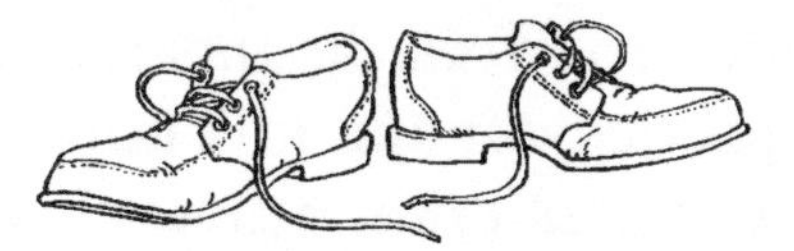

Le lendemain matin, je tentai sagement de suivre son conseil, et de porter mon plateau de la main gauche. Ce fut une catastrophe : plus de la moitié des commandes finirent par terre, et le patron commençait à me regarder d'un sale œil. Sans compter que j'avais renversé un jus d'ananas sur le chemisier d'une vieille dame, et que le sandwich aux rillettes avait atterri dans la gueule du chien de la maison. Tout le monde était furieux contre moi, sauf le chien, qui devint mon copain et ne me lâcha plus d'une semelle.

Je pris alors la décision d'aller consulter un deuxième médecin, qui pensa que mon problème de dos venait de ma mauvaise façon de marcher, les pieds en dehors. Il me conseilla de marcher les pieds en dedans, et j'essayai de bonne grâce.

Hélas ! Je me prenais les pieds l'un dans l'autre sans arrêt et, ce jour-là, je m'affalai de tout mon long deux ou trois fois, dont une fois dans la gamelle du chien, qui décréta qu'il n'était plus mon copain et refusa désormais de me parler.

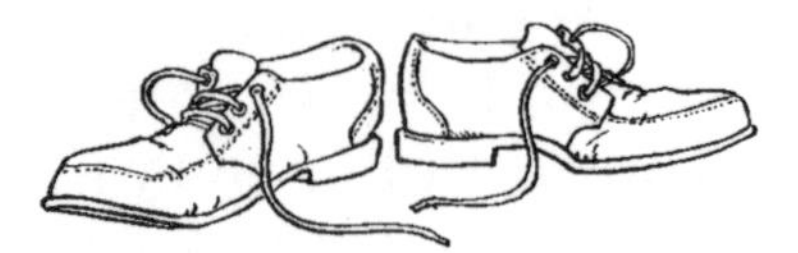

Le troisième médecin décida de m'opérer des oreilles et de la colonne vertébrale. Me voilà avec la tête bandée et un corset de plâtre, de fer, de plastique et je ne sais quoi, qui me prenait depuis les épaules jusqu'en bas du dos.

Imaginez comme c'était pratique !

Maintenant, non seulement mes oreilles sifflaient, mais je n'arrivais plus à me pencher pour poser les verres sur les tables, j'étais obligé de plier les genoux à chaque fois. Les clients croyaient que c'était pour faire de l'exercice. Certains même supposaient que c'était une façon originale de secouer la pulpe dans les bouteilles. Moi, je me sentais de plus en plus mal.

Le quatrième médecin m'ôta les amygdales, les végétations, l'appendice, la rate, une verrue et deux dents de sagesse. J'étais couvert de pansements, emballé de la tête aux pieds comme un paquet-cadeau et je ne voyais franchement pas comment j'allais faire pour servir les clients. Il valait peut-être mieux que je prenne des vacances.

Je demandai à mon patron :

– C'est dans combien de jours, Pâques ?

Il attrapa une bouteille de whisky sur l'étagère, la soupesa et me répondit :

– Dans soixante-douze jours.

Aïe ! Soixante-douze jours !

Tout de même un peu surpris par sa façon de faire, je tentai une autre question :

– ... Et les grandes vacances ?

Il choisit cette fois une bouteille de porto, la souleva et, après l'avoir tenue un moment à bout de bras, il annonça :

– Dans cent quatre-vingt-deux jours.

Franchement intrigué cette fois, j'essaie :

– Et vous pourriez me dire combien il y a de mardis au mois d'août ?

Il prend la bouteille de cognac et déclare :

– Cinq.

Incroyable ! Je m'ébahis :

– Et vous le savez rien qu'en soupesant les bouteilles ?

– C'est pas ça, dit le patron, c'est que, quand je les soulève, je vois le calendrier qui est derrière. Le whisky est devant le mois de mars et le cognac devant août.

Je ne sus jamais si c'était vrai : je voulus m'approcher pour vérifier, mais comme je ne pouvais pas baisser la tête, je ne voyais rien sur le sol et je mis le pied sur l'os en plastique du chien. J'entendis un couinement si épouvantable que j'en lâchai mon plateau. Le sirop de menthe se répandit, je glissai dessus et m'étalai sur le dos. Le chien, tout heureux de cette aubaine, se précipita pour lécher le sirop. Aïe ! Il dérapa dans le liquide visqueux, glissa jusqu'au comptoir qu'il ébranla, et l'énorme pile d'assiettes si bien rangées me tomba dessus.

On n'imagine pas mourir plus bêtement.

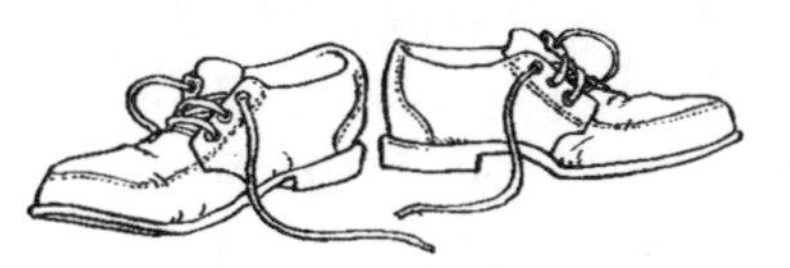

J'arrivai à la porte du ciel juste avant la fermeture. Saint Pierre était en train de repousser le lourd battant de bois quand il m'aperçut.

– Tiens ! dit-il en triturant les grosses clés qu'il portait à la ceinture, je n'attendais plus personne ce soir.

Il me demanda mon nom et consulta le registre. Je n'étais pas prévu du tout. Je devais mourir à cent trois ans d'une crise cardiaque, pendant un match de rugby où je jouais trois-quart centre. Que s'était-il donc passé d'anormal ?

Il consulta l'ordinateur, pour vérifier que le médecin avait bien signalé mon décès. Aucun doute, j'étais mort et bien mort !

Saint Pierre supposa qu'il y avait eu

une erreur de programmation. Mais enfin… J'étais là, j'étais là ! Tant pis ! Il m'envoya au magasin général prendre mon nouveau costume.

Au ciel, la tenue est extrêmement simple : une grande robe blanche, et des chaussons de la même couleur.

Le magasinier ronchonna un peu, parce que c'était l'heure du repas et qu'il avait faim. (J'étais content : pour une fois, ce n'était pas moi qui servais.) Tout en fouillant sur les étagères, il s'informa :

– Quelle taille faites-vous ?

Je répondis :

– XL…

– Taille 4, traduisit-il. Et les chaussures ?

– 42.

Il me regarda, considéra mes pieds, et haussa les sourcils :

– 42 ? Vous rigolez, vous faites au moins du 44 ou du 45.

– Ah bon ! j'ai toujours acheté du 42.

Saint Pierre, qui venait juste d'entrer derrière moi, s'étonna :

– Vous portiez du 42? Et vous n'aviez

pas constamment mal dans le dos et des bourdonnements d'oreilles ?

Vous n'imaginez pas comme j'étais en colère. Toute ma vie, ma courte vie, gâchée par des chaussures trop petites ! Je me révoltai :

– Ce n'est pas juste. Non seulement j'ai souffert le martyre, mais je suis mort à cause de cette maudite affaire de chaussures. Or, vous l'avez dit vous-même, j'aurais dû vivre jusqu'à cent trois ans, et faire du sport !

Le magasinier se rangea de mon côté :

– C'est vrai, reconnut-il, ce n'est pas très juste.

Et il demanda à saint Pierre :

– On pourrait peut-être faire quelque chose pour lui, d'autant qu'il n'était pas prévu aujourd'hui, et que je n'ai plus une seule robe de taille 4.

Saint Pierre réfléchit.

– Il va falloir que je fasse une petite rectification dans l'ordinateur, remarqua-t-il d'un ton songeur. Bon... Eh bien écoutez, je vais essayer de vous renvoyer sur terre, venez jusqu'à mon bureau.

Je l'accompagnai. C'était la première fois que je marchais sans chaussures, et j'en étais émerveillé : je me sentais bien, bien…

Je prévins alors saint Pierre :

– D'accord pour repartir, mais sans problème de chaussures, hein ! Vous me le promettez ?

Saint Pierre consulta l'ordinateur.

– Hum hum, répondit-il. Justement, je vois une petite place, là…

Il pianota quelque chose sur le clavier, puis se tourna vers moi et me souffla dessus. Wououou ! J'étais reparti.

UN GOURDIN SUR L'ÉPAULE

C'est ainsi que débuta ma deuxième vie. J'étais habillé d'une peau de bête, je portais un gourdin sur l'épaule.

« C'était aux temps préhistoriques ? » demanderez-vous.

Sans doute, mais nous, à cette époque, on n'appelait pas ça comme ça. On n'appelait pas ça du tout, d'ailleurs. On se fichait pas mal de ce qu'il y avait eu avant et de ce qu'il y aurait après.

« Mais alors, vous étonnez-vous, vos vies ont eu lieu dans le désordre ? »

Je le reconnais, outre que mes vies sont très désordonnées, elles viennent dans le désordre, mais je n'y suis pour rien. D'abord j'ai été garçon de café, ensuite homme préhistorique, ne m'en demandez pas plus.

J'aurais tout de même bien voulu gagner quelque chose au change ; hélas ! j'étais toujours aussi maladroit. Quand on chassait le mammouth, j'arrivais parfois à lui planter une flèche ou deux dans la fourrure (à condition qu'il ne soit pas à plus de trois mètres de moi), mais je n'ai jamais réussi à tuer un seul lièvre, ni même à toucher un bison (ça bouge toujours, ces bêtes-là). En bref, il ne fallait pas trop compter sur moi pour nourrir la tribu. Sauf que je me débrouillais quand même pas mal à la cueillette des mûres, et que le sirop de mûre, c'est indispensable pour accompagner le rôti de mammouth.

Heureusement, mes compagnons étaient gentils. Comme ils me connaissaient depuis toujours, ils savaient à quoi s'en tenir et ne m'en demandaient pas trop. Bref, la vie aurait été possible, si je n'avais pas tant souffert des pieds.

Ce n'était pas un problème de chaussures (nous n'en avions pas), mais courir pieds nus à longueur de jour n'était pas de tout repos. En plus, une tribu préhistorique a besoin d'un vaste terrain de chasse et elle se déplace beaucoup pour suivre le gibier. Nous étions perpétuellement sur nos malheureux pieds.

Je vous l'ai dit, pour ce qui concernait la chasse, je n'avais pas vraiment de don. Aussi, après cinq ou six accidents que je préfère passer sous silence, on m'avait confisqué mon arc et je servais de rabatteur. Ne croyez pas que rabatteur soit un métier facile : il faut courir tout le temps pour débusquer le gibier, et on n'imagine pas combien il y a de cailloux, d'épines, de morceaux de bois pointus dans les forêts.

On m'envoyait aussi à la pêche à pied sur les grèves (parce que là au moins, j'arrivais à attraper les proies), et on n'imagine pas combien il y a de coquillages pointus et de moules coupantes sur les rochers.

J'avais les pieds en sang.

Enfin, un jour que je partais pour une partie de pêche, je découvris sur le sable une baleine morte. Une baleine ! C'était formidable ! Cela faisait pour la tribu une réserve de nourriture fantastique !

De mon silex, j'entamai aussitôt la peau. En dessous, il y avait une couche incroyable de graisse, que je retirai pour atteindre la viande. J'étalai les grandes plaques de graisse par terre et montai dessus. Bon sang, comme c'était confortable sous les pieds !

Bien installé, je commençai à me découper un morceau de viande. Quel délice ! Pour une fois, j'étais fier : j'allais assurer la survie de ma tribu pendant des semaines, grâce à ma trouvaille ! C'est à ce moment que je vis approcher un chien, de ces chiens sauvages qui suivaient de loin nos déplacements. Je lui donnai un morceau de baleine... ce qui m'en fit aussitôt un copain. Il ne me quitta plus.

Ma tribu décida de s'établir un moment tout près de la baleine pour en profiter jusqu'au dernier morceau, et on emménagea dans une grotte. J'eus enfin un peu de repos et du temps pour penser. Il me vint alors une idée formidable, celle de m'emballer les pieds dans la graisse de baleine ; ainsi équipé, je ne sentais plus le moindre caillou. Bien sûr, ça glissait un peu, mais il suffisait d'être prudent.

L'automne passa. Le chien me suivait partout, si bien que je commençais à lui apprendre à rabattre le gibier avec moi. Je lui expliquai le principe, qui était de courir en avant, en faisant du bruit, de manière à ce que l'animal, effrayé, s'enfuie droit vers les chasseurs postés plus loin.

Le chien était vraiment adroit dans cet exercice et, comme il recevait un bon morceau de viande à chaque fois, il devint très motivé. Je le laissai donc de plus en plus souvent se débrouiller seul, et je m'installai tranquillement dans la grotte.

Vers le fond, il faisait noir comme dans un four. J'enflammai de la graisse de baleine pour m'éclairer, et j'observai attentivement notre nouveau repaire. Les parois de la grotte, uniformes, me parurent tristounettes : pourquoi ne pas les orner de quelques dessins pour les égayer ?

Je commençai par la trace de mes mains : c'était facile. Ensuite, je tentai de dessiner des formes, des animaux (des mammouths, des bisons, des biches) ; enfin j'ajoutai un peu de couleur. Tout le monde fut très content de mon travail. On avait enfin trouvé pour quoi j'étais doué ! On me déclara artiste de la tribu, et je n'eus plus besoin de chasser : mon contrat précisait que la tribu me nourrissait, me logeait, m'habillait, en échange de la décoration de la grotte.

Bref. Tout paraissait bien tourner pour moi et pour mes pieds.

Hélas ! les choses finirent par se gâter...

Dehors, il neigeait depuis des jours et des jours. Le gibier s'était terré, les troupeaux de rennes avaient filé je ne sais où. On avait fini la baleine depuis longtemps, et on commençait à avoir franchement faim. On se demandait même s'il ne faudrait pas faire un sacrifice au dieu de la chasse pour qu'il oblige les lièvres à sortir de leurs terriers.

En attendant, on s'embêtait ferme dans la grotte (sauf moi, qui avais toujours du travail), et, quand on s'embête, on finit par faire des bêtises.

J'étais monté tout en haut du tronc d'arbre qui me servait d'échelle, pour décorer le plafond, quand cet imbécile de Berk arrive et me dit :

– Accroche-toi à ton pinceau, j'emprunte l'échelle !

Il agrippe le tronc, je pousse un cri, je patine sur mes semelles en graisse de baleine, et je me casse la figure trois mètres plus bas.

On m'entoure, on voit que je suis assommé. C'est alors que cet idiot de Berk propose :

– Puisqu'il ne sent plus rien, on pourrait en profiter pour le sacrifier au dieu de la chasse.

– Faisons vite ! dit le chef. Si on attend et qu'il se réveille, il ne sera peut-être pas d'accord.

Je vous le dis tout net : je n'aurais pas été d'accord.

Au moment où j'ai retrouvé mes esprits, j'ai vu un énorme couteau de silex au-dessus de moi... et presque en même temps, un aigle royal qui fondait sur nous. Avant que le couteau ne m'atteigne, l'aigle m'avait enlevé dans ses serres.

Nous survolâmes un moment la terre toute blanche. Vu de là-haut, c'était très beau, et je me demandais si je n'aurais pas dû peindre aussi des paysages, quand l'aigle me laissa tomber dans son nid, au milieu de ses œufs. Je compris seulement alors que j'allais lui servir de réserve de viande pour nourrir ses petits... et parler de moi en terme de « réserve » et de « viande » me fit froid dans le dos.

Je regardai désespérément autour du nid : impossible de m'enfuir, nous étions au sommet d'un piton vertigineux !

J'essayai de me consoler en songeant qu'au moins j'aurais été utile à quelque chose dans ma vie, en sauvant de la famine une famille d'aigles, mais je crois que je me mis quand même à pleurnicher.

J'avais un peu honte de mon manque de courage, aussi, pour tenter de me calmer, je pris une grande inspiration... et voilà que toutes les petites plumes qui tapissaient le nid m'entrent dans la bouche. J'étouffe... j'étouffe... j'étouffe !

On n'imagine pas mourir plus bêtement.

J'arrive aussi sec à la porte de saint Pierre. Il ne s'étonne pas trop de me voir : les hommes préhistoriques meurent jeunes.

Et alors ? Ce n'est pas une raison ! Je protestai :

– Vous m'aviez dit que je n'aurais plus de problèmes de pieds, or c'est bien à cause de mes pieds et de mes semelles en graisse de baleine que je suis mort.

Saint Pierre ne fit pas trop d'histoires : c'est vrai, il n'avait pas vraiment tout mesuré en m'envoyant là-bas.

– Que voudrais-tu, alors ? demanda-t-il.

– Un endroit sans chaussures, c'est bien, mais avec sol souple et non pas plein de cailloux !

– Hum hum, dit saint Pierre, je vois. La Chine, ce ne serait pas mal. On y cultive le riz, et dans les rizières il n'y a que de la boue, c'est doux aux pieds. Tu t'y plairas.

Bon.

Je me demande où saint Pierre a bien pu obtenir son diplôme ; il est clair que certaines choses lui échappent. Une agence de voyages qui ferait un boulot pareil n'aurait plus aucun client. Enfin, vous allez voir…

OÙ EST LA BOUE DES RIZIÈRES ?

Au début, tout allait bien. Les visages qui se penchèrent sur mon berceau étaient très différents de ceux que j'avais connus avant, mais ils étaient souriants, avec les yeux bridés et la peau cuivrée.

Ces aimables personnes disaient :

– Mon Dieu ! comme elle est mignonne !

Et c'est ainsi que je sus que, dans cette vie-là, j'étais une fille.

Bah ! c'était ma première expérience en fille, ce ne serait peut-être pas plus mal.

Aux temps préhistoriques dont je venais, les filles avaient plutôt la belle vie : on ne leur demandait pas de courir après les bisons ni de défendre la tribu contre les tigres à dents de sabre.

Le seul problème, c'est que saint Pierre n'était pas bien renseigné sur la Chine. Il croyait que tous les Chinois travaillaient à la culture du riz.

Pour vous dire le fond de ma pensée, dans mes différentes vies j'ai bien eu l'impression que saint Pierre ne se tient pas vraiment au courant de ce qui se passe sur la Terre. Il ignore qu'il y a des riches et des pauvres, des gens qui ont besoin de travailler dur pour gagner leur vie, et d'autres qui ont beaucoup d'argent en ne faisant pourtant rien de la journée.

Moi, non seulement j'étais une fille, mais en plus, j'étais tombée dans une famille de mandarins[1], des gens très riches, qui ne mettaient bien sûr jamais les pieds dans les rizières.

1. Personnages importants, en Chine autrefois.

Au tout début, je n'eus pas à m'en plaindre, car on me portait toujours pour les déplacements et, à la maison, le sol était couvert de fourrures. J'ignore si j'étais douée pour quelque chose : je n'avais jamais rien à faire, puisque les serviteurs s'occupaient des commissions, les servantes du ménage, les cuisiniers de la cuisine, les jardiniers du jardin, etc. C'était vraiment une vie tranquille, à côté de la précédente.

C'est un peu plus tard que cela se gâta.

Lorsque j'eus cinq ans, on m'annonça que j'étais assez grande maintenant pour qu'on me bande les pieds (une chose encore que saint Pierre ignorait !). J'étais contente, supposant que ce serait confortable... jusqu'à ce que je comprenne ce que cela voulait vraiment dire. On me retourna tous les orteils sous la plante des pieds, on recroquevilla mes pieds sur eux-mêmes, et on les banda serré pour qu'ils ne puissent plus bouger. C'était horrible.

Comme je pleurais beaucoup, ma mère me répétait :
– Il faut souffrir pour être belle.
Il faut dire que là-bas, en Chine, on pensait qu'il était plus élégant pour les femmes d'avoir de très petits pieds, et qu'il fallait donc les empêcher de grandir. Moi, je ne voulais pas être belle dans ces conditions atroces. Impossible de poser les pieds par terre sans hurler de douleur !

Pour me consoler, on m'offrit des criquets dans une cage et un joli peigne en ivoire. Belle consolation !
Quand on vous bande les pieds, durant des semaines vous ne pouvez pas marcher du tout, et ensuite ça va légèrement mieux. Vous vous sentez bien sûr les pieds raides et paralysés, mais vous vous habituez à avancer un peu, à petits pas. Évidemment, ce n'est pas la peine de songer à courir dans le jardin...

J'essayai donc d'occuper mes journées à des activités tranquilles : mon père me confiait le soin d'enfiler sur des cordelettes ses sapèques (qui étaient la monnaie, là-bas, des pièces avec un trou carré au milieu).

Le reste du temps, je restais assise au bord de la rivière à sucer de la canne à sucre et à regarder passer les jonques qui ramenaient du Bengale les cornes de rhinocéros.

Je m'ennuyais tellement que je tombai malade. Inquiets, mes parents appelèrent le docteur Tchang. Celui-ci m'ausculta longuement, puis il prit un marteau pointu et me donna, à l'arrière du crâne, deux petits coups qui me firent très mal.

Ensuite, il dit à mon père :

– Voilà. Ça vous coûtera trente sapèques.

– Trente sapèques pour deux petits coups de marteau ? s'étonna mon père.

– C'est bien cela.

– Dans ce cas, demanda mon père, pourriez-vous me faire une facture ?

– Bien sûr.

Le docteur Tchang prit une feuille de papier et écrivit :

Deux petits coups de marteau :	*1 sapèque*
Savoir où les donner :	*29 sapèques*
Total :	*30 sapèques*

Il ajouta que si je ne me sentais pas mieux, il repasserait le lendemain.

De peur de recevoir encore des coups, j'affirmai que j'étais guérie, ce qui fait que mon père ne regretta pas trop ses trente sapèques.

Après cette expérience douloureuse, je décidai fermement de ne plus jamais être malade, et de trouver une occupation. J'eus alors une idée : je me mis à composer des poèmes, assez jolis je crois. On jugea même que j'étais très douée.

Pour que je puisse lire mes poèmes en public, mon père donna un grand banquet. C'est une époque où je commençais à marcher correctement sur mes pieds bandés, et je pus aller jusqu'aux cuisines. J'y découvris avec stupeur que la viande que les cuisiniers préparaient, c'était du chien. Je ne sais pas pourquoi, cela me dégoûta et me révolta.

De colère, je refusai de lire mes poèmes en public.

À partir de ce jour, il me fut impossible d'avaler une seule bouchée de viande. Je devins végétarienne.

Mon père, croyant à une petite crise d'adolescence, eut l'idée de m'envoyer faire un voyage. Ce n'était vraiment pas une bonne idée : en ce temps-là, les voyages étaient dangereux !

Alors que nous traversions en bateau les marécages qu'on appelle « le désert des Cent Li », nous fûmes attaqués par une troupe de brigands, qui volèrent tous mes bijoux et m'abandonnèrent en pleine campagne.

Je reprenais à peine mes esprits lorsque je vis surgir entre les roseaux une tête terrifiante : un tigre énorme. Je me relevai en vitesse, et j'essayai de courir. Hélas ! je ne savais pas courir, je n'avais jamais pu courir avec les pieds bandés !

En deux bonds, le tigre me rattrapa et me jeta à terre. J'eus très peur du bruit que feraient mes os en craquant sous sa dent, et je me mis à trembler de partout. Alors là... – est-ce que le tigre avait déjà mangé ? est-ce qu'il n'aimait pas l'odeur de la peur ? est-ce qu'il était végétarien lui aussi ? – il me renifla avec dégoût, puis sauta d'un bond sur un gros amas de rochers et s'éloigna sur le flanc de la montagne.

Vous n'imaginez pas comme je fus soulagée (si si, je ne vous le cache pas). Donc, je me relève et... Aïe ! Mon pied (qui était, je vous le rappelle, très petit) s'enfonce dans un terrier. Impossible de bouger ! C'est à ce moment qu'un gros rocher ébranlé par le saut du tigre déboule sur moi.

On n'imagine pas mourir plus bêtement.

En arrivant au ciel, j'étais un peu fâchée : tout était de la faute de saint Pierre, qui m'avait fait fille dans un pays où on martyrise les pieds des filles ! D'une part ça m'avait gâché la vie, et d'autre part ça m'avait carrément coûté la vie : si mon pied avait été plus grand, jamais il n'aurait pu se prendre dans un terrier.

Saint Pierre reconnut de bonne grâce son erreur.

– J'ai peut-être gaffé, avoua-t-il.

Je grognai :

– En tout cas, je ne veux plus être

une fille ! Je me rappelle qu'au temps où j'étais garçon de café, les femmes portaient aussi des chaussures ridicules, trop étroites pour leurs pieds, et en plus à talons hauts, ce qui ne devait pas être pratique pour marcher.

– C'est vrai, c'est vrai, dit saint Pierre. On fait souvent souffrir les femmes, pour des raisons de prétendue beauté.

Il fouina sur son ordinateur et proposa :

– Est-ce qu'une paire de bottes fourrées te plairait ?

Je répondis (sans trop réfléchir) que oui, il me souffla dessus et me renvoya sur terre.

Là, j'aurais vraiment dû demander quelques explications…

CENT MÈTRES

Je crois que saint Pierre commençait à vieillir et qu'il avait le cerveau un peu fatigué : il n'arrivait plus à se souvenir de tout.

Cette fois, il m'avait bien fait garçon, il m'avait bien fourni des bottes confortables, mais il avait oublié de me prévenir qu'il s'agissait de bottes de sept lieues, et que j'étais dans cette existence-là un ogre.

Or, depuis ma vie précédente, si vous vous en souvenez, j'étais végétarien.

Un ogre végétarien ! Vous n'imaginez pas l'embarras de mes parents.

J'ai d'abord été, comme tout le monde, élevé au lait, ce qui ne posait aucun problème. C'est lorsqu'on voulut me mettre à un régime plus solide que les choses se compliquèrent. Quand pour la première fois on glissa dans mon assiette de tendres petits enfants, je ne voulus pas y toucher. On pensa que c'était à cause de la couleur de leurs cheveux parce qu'on avait choisi des blonds, qui paraissaient pourtant appétissants. Le lendemain, on essaya des châtains, puis des bruns, des roux : rien à faire, je ne voulais même pas y goûter.

Alors mes parents eurent l'idée de les dissimuler dans un buisson d'églantines. Bien sûr, je les détectai tout de suite : les enfants, ça ne sait pas se tenir tranquille, et ils faisaient bouger les branches en essayant de les escalader pour sortir de là. Je pris donc le buisson pour aller le secouer sur le bord de la fenêtre. Je les vis qui se sauvaient en cavalant, et je fus content.

– Alors, mon chéri, me dit maman, comment as-tu trouvé ta viande, aujourd'hui ?

Je répondis :

– Par hasard, sous une branche.

Je me fis gronder d'avoir relâché de la si bonne viande, des enfants que mon père avait soigneusement choisis bien dodus, et qui étaient tout frais capturés du matin. Pour la consoler, je lui fis remarquer que c'étaient des enfants trop gras, bourrés de confiseries, et que ce n'était sûrement pas bon pour ma santé.

Ma mère en acheta alors de plus maigres, ceux qui font la fine bouche chez eux et ne mangent presque rien. Ceux-là, je les retrouvai discrètement jetés dans mon bol de chocolat. Berk !

Quand je les vis nager, fendant le liquide de toute la force de leurs bras pour rejoindre le bord, cela me dégoûta. Je les attrapai discrètement entre deux doigts, et les laissai tomber dans un trou du plancher qui donnait sur la cave.

Lorsque ma mère découvrit mon manège, elle fut révoltée par mon attitude, et décida d'aller consulter un médecin nutritionniste pour savoir comment s'y prendre avec moi. Je ne sais pas ce que lui dit le médecin, mais quand elle revint de chez lui, elle était dans de meilleures dispositions.

Elle me demanda :

– Qu'est-ce qui te ferait plaisir, mon chéri ?

Je répondis :

– Un chien. Je veux un chien.

Elle fut toute contente et courut m'en acheter un, ce qu'elle trouva de plus grand, un dogue allemand.

Mais quand elle comprit que je n'avais aucune intention de le manger, que c'était juste un copain pour jouer, elle en fut démoralisée.

J'étais ennuyé car c'est toujours triste de décevoir ses parents.

J'adoptai donc une technique qui ne contrarierait personne : je faisais semblant de mettre les enfants dans ma bouche et les glissais par mon col de chemise. Après le repas, je sortais prendre l'air pour digérer, et je relâchais tout le monde dans la campagne.

Bon, j'étais ogre, j'étais ogre, on s'arrange comme on peut de ce qu'on est, mais ce n'était pas mon seul problème. Là – j'en suis désolé pour saint Pierre – il y avait encore quelque chose qui clochait : il avait pensé aux bottes et c'est tout. Or...

Les bottes de sept lieues, c'est très marrant : on franchit la montagne en une enjambée, on peut aller se baigner au bord de la mer en quelques pas. Quand j'étais gosse, je les avais tout le temps aux pieds, et je dois dire que mon chien et moi on s'amusait comme des fous. On ne rechignait jamais pour aller faire les commissions au loin : je le mettais dans une de mes bottes et en route ! Ensemble, nous partions chercher des glaçons pour l'apéritif au pôle Nord, du sable pour construire des châteaux dans le Sahara, capturer des baleines pour mon aquarium dans l'Atlantique, des éléphants pour le vivarium en Asie, etc.

Toutefois, il y avait un inconvénient. Avec des bottes de sept lieues, on avance de sept lieues en un pas, c'est-à-dire à peu près vingt kilomètres et c'est pratique quand on va loin, mais pour descendre cueillir des salades au jardin, ce n'est pas possible.

Comme aucune autre chaussure n'était prévue, à chaque fois que je voulais faire dix mètres, ou même un kilomètre, j'étais obligé de me déplacer pieds nus.

Inutile de dire que j'étais plutôt furibard contre saint Pierre.

Une chose encore que saint Pierre ne m'avait pas signalée, c'est que les ogres sont très grands ; je mesurais cent mètres de haut à quatorze ans. On n'imagine pas comme c'est mal pratique. En plus, allez savoir pourquoi, j'étais extrêmement maladroit : s'il y avait un trou entre deux montagnes, c'était pour moi, je me cassais la figure dedans.

Une forêt de houx ? Je mettais le pied dessus.

Un fer de hache resté dans un tronc d'arbre ? Je me l'enfonçais dans la gencive en mâchant.

Je décidai donc, pour ne pas trop avoir à bouger, de devenir sculpteur. Et là, je ne m'explique pas comment, il semblait que j'étais plutôt doué. Mes parents, tout fiers que j'arrive enfin à quelque chose, organisèrent une grande exposition pour montrer les statues que j'avais réalisées.

Or à l'apéritif, ils avaient prévu comme amuse-gueule le Petit Poucet et ses frères, des enfants un peu maigres et sans doute mal nourris (mais ma mère était dans une période de régime amincissant).

Dégoûté, je refusai de venir. Ma mère crut que c'était juste un caprice d'artiste et, pour ne pas gâcher la soirée, elle mit les enfants de côté dans le garde-manger. Ce qu'elle ignorait, c'est que j'avais découpé un trou dans le grillage de ce maudit garde-manger, pour sauver les pauvres bêtes qui y seraient enfermées. Pendant que j'expliquais mes œuvres, le Petit Poucet et ses frères s'enfuirent discrètement.

Hélas ! ces gosses n'avaient aucun savoir-vivre : pour s'enfuir, ils me piquèrent mes bottes de sept lieues !

Cela me mit très en colère. Faites du bien à un âne, il vous donnera des crottes !

Remarquez, je les comprenais un peu, s'ils s'étaient sauvés sans mes bottes, on les aurait rattrapés en deux pas. Je leur pardonnai donc, tout en restant bien décidé à récupérer mes bottes.

Le seul chemin pour quitter mon royaume, c'était de suivre le bord de la rivière ; me voilà parti à leur recherche le long des berges.

Malheureusement, la vallée n'était pas très large pour moi, et je dus marcher au milieu, dans la rivière elle-même. L'eau m'arrivait presque jusqu'aux chevilles, et elle était froide.

C'est sans doute pour cela que je m'enrhumai. En tout cas, j'éternuai un bon coup... et me cognai violemment le front contre la montagne.

On n'imagine pas mourir plus bêtement.

En arrivant chez saint Pierre, je remâchais cette histoire de bottes. Pour l'instant, je n'avais été content d'aucune de mes vies, et je commençais à en avoir plus que marre. Vu ma taille et ma mauvaise humeur, saint Pierre jugea prudent de me donner raison.

– Je vais t'envoyer dans un pays où les chaussures sont...

Je l'interrompis aussitôt :

– Sont légères à porter, discrètes et confortables, et qu'il fasse assez chaud pour que je ne m'enrhume pas.

Saint Pierre était pressé, parce qu'il avait ce soir-là une réunion dont le sujet était inscrit sur l'ardoise à l'entrée de la grande salle : « Faut-il réparer les nuages qui fuient ? ». Il se contenta donc d'une recherche rapide et découvrit un pays qui lui parut convenable. Il prit soin de me montrer le modèle de chaussures. Je les essayai, ça me plut bien.

LES ROMAINS SONT LES MEILLEURS

Le modèle était élégant, confortable, solide. Ce que saint Pierre avait oublié de me dire, c'est ce qu'on en faisait. Enfin… ça servait à marcher, évidemment, mais…

… Mais reprenons au début. D'abord (je me demande bien ce que saint Pierre était encore allé inventer !), je n'étais pas tout à fait un enfant ordinaire : j'étais égyptien de naissance, ma mère m'avait abandonné parce qu'elle ne pouvait sans doute pas m'élever (je n'ai jamais eu d'éclaircissements là-dessus), elle m'avait mis dans un panier et déposé sur le fleuve. Là, j'avais été récupéré par des pêcheurs, qui m'avaient revendu à un soldat romain dont la femme ne pouvait pas avoir d'enfants. Comme vous voyez, c'est un peu compliqué.

En quittant l'Égypte, le soldat me ramena donc chez lui à Rome.

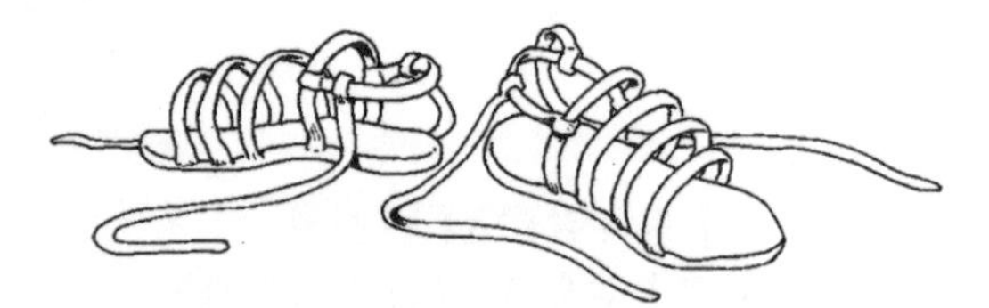

Mes parents étaient patients et attentionnés. Je leur donnais toute satisfaction et pourtant ils se faisaient du souci. Pourquoi ? Parce que j'étais Égyptien et que, évidemment, je grandissais.

– Il va bientôt avoir deux ans, s'inquiétaient-ils, il va commencer à parler, et nous ne savons pas l'égyptien !

Ils allèrent donc s'inscrire à un cours

d'égyptien, histoire de comprendre ce que je leur dirais quand je commencerais à parler.

Mais moi, j'étais malin, et sûrement plus doué qu'eux : bien que je sois le plus petit, c'est moi qui réussis à apprendre leur langue !

Mes parents furent drôlement soulagés de m'entendre dire mes premiers mots en latin, parce qu'ils pataugeaient dans les hiéroglyphes et avaient un mal de chien avec l'égyptien. (À propos de chien, il ne me semble pas que j'en aie eu dans cette vie-là.)

Je fus la fierté de mes parents, et je grandis sans histoire, jusqu'au jour où…

Où mon origine égyptienne reprit le dessus. Je ne me mis pas à écrire en hiéroglyphes, rassurez-vous, mais je décidai que mon métier serait architecte, et que je construirais des pyramides.

Mes parents furent consternés : ils m'assurèrent que les pyramides n'étaient pas du tout à la mode à Rome, et que je ne trouverais donc pas d'emploi dans ce secteur. Il valait mieux que je choisisse un autre métier.

Mon père me conseilla de faire comme

lui, de devenir soldat, parce que c'était le plus chouette métier et que je verrais du pays.

Moi, j'en tenais toujours pour les pyramides. Alors mon père me démontra combien j'avais de chance d'être Romain, car le peuple romain était le plus grand, le plus beau, le plus intelligent, et il ajouta que ses soldats étaient la crème de la crème du peuple, et qu'ils étaient donc encore plus grands, encore plus beaux, encore plus intelligents, et surtout LES PLUS FORTS !

– Tous les autres peuples sont des barbares, disait-il. Tu ne voudrais quand même pas être un affreux barbare comme ces Gaulois qui vivent de l'autre côté de la montagne ?

– Euh... non, sans doute.

– Dans ce cas, il faut te montrer digne d'être Romain, et aller combattre dans les armées de notre grand chef Jules César !

Voilà comment, pour avoir dit : « Euh... non, sans doute », je me trouvai enrôlé dans les armées de ce Jules César.

Ah ça ! Si j'avais su ce qui m'attendait !

Vous comprenez, comme les Romains étaient les meilleurs, il fallait que les autres pays s'en rendent bien compte, et se soumettent. Il fallait donc leur faire la guerre, et ils résistaient, ces imbéciles ! Ils n'avaient pas compris combien il serait agréable de devenir Romains, plutôt que de rester d'affreux Gaulois ou d'horribles Germains.

Moyennant quoi, les avions n'existant pas, les chevaux étant réservés aux chefs, nous marchions, nous marchions, nous marchions, pour aller envahir les voisins qui, eux, ne voulaient pas se laisser envahir ; alors nous nous battions, nous nous battions, nous nous battions. C'était infernal.

Imaginez l'état de mes pieds. Les sandales, rien à dire, elles étaient bien : exactement comme celles que saint Pierre m'avait donné à essayer. Là, il n'y avait pas de tromperie. Le problème, c'était l'utilisation qu'on en faisait : on marchait du matin au soir par les chemins, sur des sentiers de montagne, dans des fourrés, sur les champs de bataille d'où personne n'avait songé à ôter les cailloux. On marchait avec sur le dos une cotte de mailles de dix kilos, un casque en bronze qui nous échauffait les oreilles, un bouclier, un glaive, un javelot, un poignard. On marchait en portant un sac avec une gamelle, un seau, des outils, des piquets pour faire les palissades, la nourriture, les vêtements. Le chef criait : « À droite !

À gauche ! Marche ! Plus vite ! Pas de gymnastique ! » C'était tuant.

Finalement, je demandai à être affecté au service des chars.

Ouf ! sur les chars, au moins, on ne marchait pas et mes pieds commencèrent à se rétablir. C'est ainsi que je rentrai à Rome, conduisant majestueusement le char de Jules César en personne.

Mon père était fier de moi.

Il faut reconnaître que je me débrouillais pas mal avec les chevaux (je vous l'ai dit, c'est une vie dans laquelle je n'avais pas de chien, il fallait quand même bien que j'aie quelque chose !) et j'étais donc un bon conducteur de char.

Voyant cela, mon père me conseilla de participer aux courses. Moi, du moment qu'il n'y avait pas à marcher, j'étais d'accord. J'avais un attelage de chevaux, un char avec deux belles roues, j'étais le roi.

Mais la vie réserve des surprises...

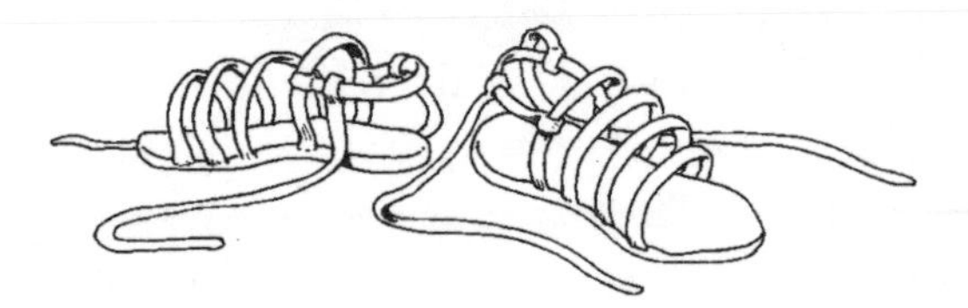

J'étais en course dans le grand stade avec ce crétin de Berk (un mauvais joueur celui-là !). J'allais gagner. C'est alors qu'il me crie :

– Eh ! Tu as une roue qui grince.

Comme je n'entendais rien, je demandai :

– Quoi ?

Il cria de nouveau :

– Tu as une roue qui grince !

Je me retournai et hurlai :

– Qu'est-ce que tu dis ? Parle plus fort, je n'entends rien, j'ai une roue qui grince.

Et c'est comme ça que je sortis de la piste, fis un vol plané dans la poussière, et atterris aux pieds de Jules César. Je suis au regret de le dire : je lui cassai la jambe.

En ce temps-là, ça ne rigolait pas. Jules César me fit jeter aux lions.

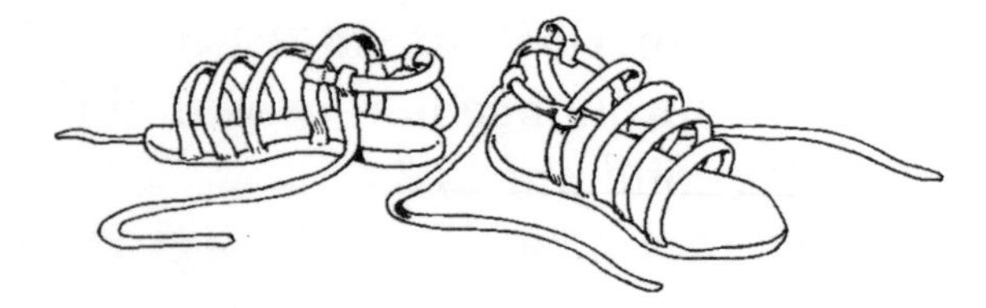

Je n'étais pas tout seul dans mon malheur, nous étions trois.

Le premier, c'était un Gaulois très brave. Quand on lâcha le fauve, il ne trembla pas. Le lion s'approcha de lui, le flaira... et fit demi-tour.

Dans l'arène, on ne rigole pas, mais il y a une règle : si le fauve ne vous mange pas, vous êtes libéré. On laissa donc le Gaulois repartir chez lui.

On envoya le deuxième condamné, un Germain très costaud. Le lion le regarda fixement, s'approcha de lui, ouvrit grand sa gueule... puis s'allongea sans rien faire. Tout le monde était ébahi, on libéra le Germain.

C'était à mon tour. Moi, je n'étais ni brave ni costaud mais j'avais remarqué quelque chose, et je m'avançai sans trop me faire de soucis. C'est alors que Jules César demanda :

– Quelqu'un a-t-il une idée de ce qui se passe ? Pourquoi ce lion ne veut-il pas manger les condamnés ?

Et moi, malin, je lève le doigt et je réponds :

– Je le sais, grand César, c'est parce

qu'il est trop vieux et qu'il n'a plus de dents.

– Il a raison, admit Jules César, faites amener un lion bien frais, bien affamé, avec toutes ses dents.

... On n'imagine pas mourir plus bêtement.

Je n'étais pas très fier en arrivant chez saint Pierre : il y a des jours où on ferait mieux de se taire. Est-ce qu'on m'autoriserait à rattraper une fin aussi idiote ?

Heureusement, saint Pierre était très occupé avec un problème d'arc-en-ciel qui se décolorait, aussi, quand je lui demandai une autre vie, il ne prit pas le temps d'en discuter avec moi et crut que j'étais mort à cause de mes chaussures, ce qui n'était pas tout à fait vrai. Encore que...

Pour aller plus vite, il tapa sur son clavier : « Trouver chaussure à son pied », histoire de voir les propositions que lui ferait l'ordinateur. Et là, l'écran répondit :

« L'envoyer au Japon, il y a ce qu'il faut. »

Sans prendre le temps de réfléchir à ce que l'ordinateur avait bien pu comprendre à la question et pourquoi il répondait ça, saint Pierre me souffla dessus. Pfff…

L'ARC ET LE SABRE

Ma sixième vie fut ma plus belle, je n'ai pas peur de le dire. Surtout à cause de Masako.

Je mis longtemps à comprendre pourquoi l'ordinateur m'avait envoyé là, au Japon, où les chaussures n'avaient ni plus ni moins d'avantages qu'ailleurs. On portait dans ce pays des chaussures étranges, des socques de bois laqué, qui ne tenaient pas bien au pied mais qui le laissaient assez libre.

Le seul avantage ici, je vous l'ai dit, c'était Masako.

Masako était une femme merveilleuse, jolie, gentille, aimante, bref, j'avais trouvé chaussure à mon pied ! C'est en me disant ces mots que je compris comment l'ordinateur avait interprété la demande de saint Pierre : il croyait que je voulais trouver la femme idéale.

Je ne me plaignis pas : les chaussures n'étaient pas terribles, mais Masako... !!!

Je ne me rappelais pas depuis combien de temps je la connaissais ; depuis toujours je crois, puisqu'elle était la fille de ma nourrice.

Masako rattrapait tout le reste, parce qu'il faut bien avouer que cette vie n'était pas très facile pour moi.

Quand on est une femme japonaise, il faut être belle et douce, musicienne et poète, et cela ne posait aucun problème à Masako. Quand on est un homme japonais (puisque dans cette vie-là j'étais un homme) il faut être fort, vaillant et adroit... et il faut bien avouer que je n'étais rien de tout cela.

Masako s'en fichait et elle m'aimait quand même, je me demande vraiment pourquoi.

Comme j'étais très amoureux d'elle, j'essayai de lui faire honneur, et je décidai donc de devenir un grand samouraï (c'était le nom qu'on donnait là-bas aux vaillants guerriers).

Pour devenir samouraï, il fallait faire preuve d'intelligence, de force et d'adresse. Pour l'intelligence, ça pouvait aller. Pour la force, c'était plutôt moyen. Mais pour l'adresse, vous me connaissez...

Je m'entraînais donc à l'arc et à l'épée tout le jour, pour que Masako n'ait pas à rougir de moi. Au bout de quelques mois (ou peut-être quelques années), j'arrivais à dégainer mon sabre, et à placer ma flèche bien droite sur la corde de l'arc, mais je voyais avec inquiétude qu'il me faudrait encore plusieurs autres années pour être capable de couper une fleur avec ce sabre, et planter cette flèche plus loin que le bout de mes pieds.

Masako me rassurait (elle m'aimait comme j'étais), mais moi, je voulais absolument faire un effort. Je décidai de prendre des cours et j'allai donc voir un grand maître.

Je le trouvai dans son jardin, où il taillait ses bonsaïs. Tandis que je lui exposais mon problème, il saisit son arc et me dit :

– Vois-tu ce puceron, à vingt mètres, sur cette feuille d'érable nain ?

Bien que je ne le devine qu'à peine à cette distance, je répondis que oui, et j'ajoutai :

– Vous ne pouvez tout de même pas le tuer d'un trait de flèche ?

– Non, me dit-il, rassure-toi je ne vais pas le tuer : je vais juste lui casser une patte, pour qu'il tombe et ne puisse pas remonter de si tôt sur mon érable.

Je commençai alors à me ronger distraitement un ongle. Il m'expliqua que le but à atteindre, si je voulais devenir samouraï, était de décocher des flèches dans un poteau, monté sur un cheval lancé au grand galop, ou de couper la tête d'un ennemi avant même qu'il ait vu le sabre. Après quoi il me donna rendez-vous le lendemain, à l'heure du dragon, ce qui fait à peu près huit heures du matin.

En me répétant que « chaque seconde change la personne et qu'on n'est pas aujourd'hui ce qu'on était hier », j'espérai en de rapides progrès. Aussi je me rendis bravement au rendez-vous.

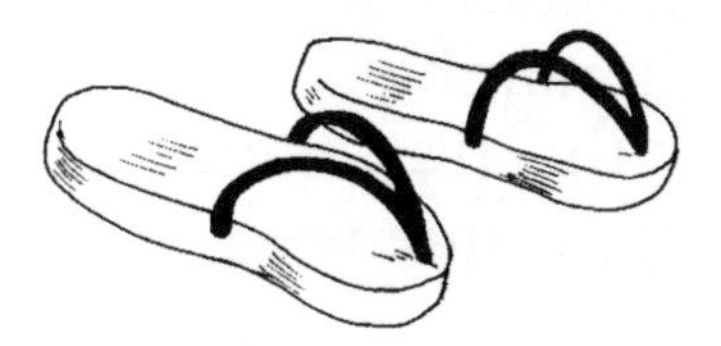

Quand je rentrai chez moi à l'heure du mouton (quatorze heures), j'étais moulu, rompu, fourbu. Je m'étais blessé au pied avec une flèche (à cause de ces maudites socques découvertes), et j'avais déchiré le tatami du maître en soulevant mon sabre.

Le lendemain, quand je me présentai au cours à l'heure du serpent (dix heures), le maître me fit dire que je souffrais sans doute de quelque maladie, et qu'il vaudrait mieux que j'aille d'abord voir la vieille miko (c'est-à-dire un genre de sorcière) pour qu'elle m'ôte le mauvais sort qui me rendait si maladroit.

Toute la nuit suivante, allongé sur mon tatami, la tête sur mon oreiller de bois, j'hésitai.

Au matin, j'avais résolu de devenir plutôt musicien : je jouerais du biwa[1]... non, de la flûte, qui était un instrument réservé aux hommes, et ce serait tout de même honorable.

Masako fut très heureuse de mon choix, surtout que pour la flûte, je me montrai très doué, et c'est à ce moment-là que nous décidâmes de nous marier. Comme c'est la coutume, pour nous engager l'un envers l'autre, nous bûmes en trois fois, trois coupes de saké (qui est l'alcool du pays).

Ce mémorable soir, saint Pierre était sans doute venu à bout de son problème de couleurs, et nous avions un arc-en-ciel magnifique ce qui nous parut, à

1. Luth japonais.

Masako et à moi, un bon présage pour notre vie future.

Hélas... Les présages ne sont plus ce qu'ils étaient !

Le lendemain (qui était le jour où je devais enfin épouser Masako), alors que je m'entraînais à la flûte au bord de la mer, je vis passer un moine, accompagné d'un grand chien, et portant un panier à bretelles sur son dos.

Il me dit :

– Voulez-vous venir voir le spectacle ?

– Quel genre de spectacle ? demandai-je.

– Un combat de chiens.

– Ah non ! protestai-je, je ne veux pas voir ça, j'aime trop les chiens.

– Alors, dit le moine, peut-être que vous m'en achèterez un ?

Et il sortit de son panier un chiot adorable.

C'est à ce moment-là que le sol se mit à trembler. La mer se gonfla, s'ébroua, jeta sur le rivage des vagues énormes qui s'abattirent sur nous. Je rattrapai tant bien que mal le chiot enlevé par une lame, le serrai contre ma poitrine et me mis à courir vers la maison. Malheureusement, le tremblement de terre ne s'arrêtait pas. Un grand trou s'ouvrit sous mes pieds et je tombai au fond. Par chance, j'avais réussi à ne pas lâcher le chien.

Le tenant toujours contre moi, je réussis à remonter péniblement et à me hisser au bord de la faille. C'est alors qu'une panthère affolée vint se jeter sur nous. Pris de peur, je lui envoyai un violent coup de pied...

Vous connaissez mon adresse : je ratai mon coup de pied, ma socque de bois s'envola et me retomba sur le front.

On n'imagine pas mourir plus bêtement.

Je regagnai le ciel dans une fureur noire. Je traitai même, je le crains, saint Pierre de « vieil imbécile », je lui criai que je voulais retrouver Masako, et tout de suite !

Je dois avouer que saint Pierre fit

avec moi preuve d'une grande patience. Mais enfin, c'était entièrement de sa faute : j'étais bel et bien mort d'un problème de chaussures, et en plus au moment précis où j'allais épouser la femme de ma vie. C'était une injustice criante, et même injuste !

J'exigeai une nouvelle vie, au même endroit, et avec la même femme.

Saint Pierre m'expliqua alors qu'il était désolé, mais que pour Masako ce n'était plus possible, parce qu'il ne pouvait me renvoyer que sous forme de bébé, et que, vu le décalage temporel entre le ciel et la terre, quand j'arriverais là-bas, Masako aurait l'âge d'être mon arrière-grand-mère.

Je ne vous dis pas dans quel état de désespoir je me trouvais. Je crois que c'est pour ça que saint Pierre me donna une nouvelle chance : pour que je ne reste pas là à pleurer dans ses manches.

Entre deux sanglots, je demandai un pays chaud, et où on ne marche pas.

SOUS LE PAS D'UN MÉHARI

Dans ma nouvelle vie, pour la chaleur, on était gâté. Impossible de quitter l'ombre des arbres entre le lever et le coucher du soleil !

Je vivais dans une oasis en plein désert, et saint Pierre avait tenu ses promesses : je n'avais pas besoin de marcher beaucoup, rien à voir avec mes vies précédentes.

Petit, je passais ma journée allongé à l'ombre sur une natte, à grignoter des noix de kola, ou assis au bord du cours d'eau, à regarder les enfants plus grands grimper dans les palmiers pour cueillir des dattes.

Lorsque j'eus deux ans et que je commençai à trotter de-ci de-là, mes parents m'enfilèrent des petites chaussures de cuir. Je regrette, mais ce n'était pas dans le contrat avec saint Pierre, et je les enlevai aussitôt.

Ils insistèrent, les attachèrent mieux… il n'y avait rien à faire, je ne les supportais pas. Mes parents étaient très ennuyés. Ils m'expliquèrent que, dans l'oasis, on pouvait toujours rencontrer des vipères et des scorpions, et qu'il fallait se protéger les pieds.

Moi, j'avais vu toutes sortes de chaussures dans mes vies, et je préférais encore rencontrer une vipère ou un scorpion. D'ailleurs, je ne pensais pas mourir d'une piqûre : jusqu'ici, j'avais toujours eu des morts beaucoup plus bêtes que ça et, à mon avis, les choses ne risquaient pas de s'améliorer.

Finalement, mes parents laissèrent tomber, et j'eus le droit de courir pieds nus dans l'oasis.

C'était la vie rêvée. Il n'y avait pas un seul caillou (on les enlevait soigneusement pour qu'ils n'empêchent pas les plantes de pousser), il n'y avait que du sable et de la terre fine et douce.

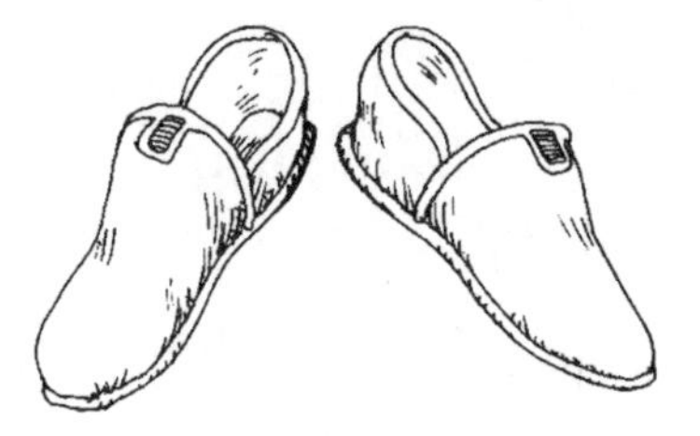

Mon père n'était pas là très souvent, à cause de son métier. Il était messager du désert (une sorte de facteur), c'est-à-dire qu'il était chargé de porter le courrier d'un bout à l'autre du Sahara. Vous comprenez alors que, lorsque j'eus cinq ans et que mes parents songèrent à m'apprendre un métier, ils voulurent me préparer à prendre sa suite.

Pour ce cinquième anniversaire, ils m'offrirent donc un magnifique méhari, qui est un genre de chameau très rapide. Tout content qu'on m'ait trouvé une monture qui me permette de me déplacer sans chaussures, je l'essayai aussitôt. Je posai mon pied droit sur son cou et m'élançai en selle. J'étais plutôt content de moi en découvrant que j'y étais arrivé facilement (mais avec les animaux, je m'étais toujours bien débrouillé).

C'est là que je mis le doigt sur le premier inconvénient de cette vie, dont saint Pierre ne m'avait pas prévenu : à dos de chameau, on a le mal de mer, pire que sur un bateau.

Je revins de ma première expédition à l'oasis voisine malade comme un chien (alors qu'à cette époque-là, je n'avais même pas encore de chien), et je refusai donc tout net de faire le métier de mon père, et de porter le courrier à dos de chameau. Quant à porter le courrier à pied, il n'en était pas question.

Je réfléchis alors pour trouver un autre métier, et constatai malheureusement que je n'étais doué pour rien, ni pour grimper aux palmiers, ni pour tracer un sillon droit, et à chaque fois qu'on m'envoyait tirer de l'eau au puits, la corde se cassait, allez savoir pourquoi.

La seule chose pour laquelle j'avais des facilités, c'était pour rêver. Seulement voilà : rêver rapporte rarement de l'argent.

Des métiers, il n'y en avait guère que deux qui ne demandaient pas spécialement d'adresse. On pouvait être soit berger (mais il faudrait mettre des chaussures pour parcourir les vastes étendues), soit messager du désert. Mes parents me mirent alors en face du choix :

– Ou c'est les chaussures, ou c'est le courrier.

Je restai plusieurs nuits sans dormir, à contempler le ciel, pour choisir entre ces deux maux : garder les animaux, avec des chaussures et sans mal de mer, ou parcourir le désert avec le mal de mer, mais sans chaussures.

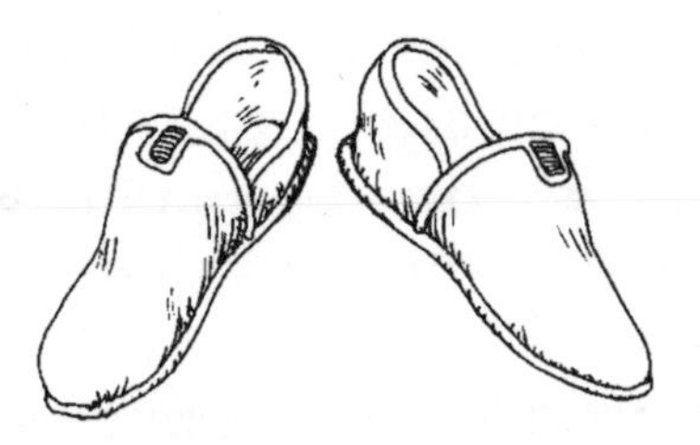

C'est alors que me vint une idée géniale. Comme je passais les trois quarts de mon temps allongé, la tête sur mon oreiller de cuir rempli de sable, à regarder le ciel, je le connaissais bien. Pourquoi ne pas devenir astronome ? Dans le désert, on a toujours besoin de se repérer au soleil et à la position des étoiles pour se guider. Je donnerais des cours aux conducteurs de caravanes !

Je n'eus hélas pas le temps de mettre ce projet à exécution... Nous fûmes attaqués en pleine nuit par la tribu voisine, qui n'eut pas d'idée plus originale que de m'enlever pour demander une rançon.

Je fus attaché, saucissonné, et jeté sur mon méhari par ce maudit Berk, qui m'emmena jusque dans la forêt de mimosas où il m'attacha à un tronc. Mon méhari était plutôt content : il adorait le mimosa. Moi, l'estomac retourné par le voyage, je ne pus rien avaler pendant trois jours.

Un matin où il venait m'apporter de l'eau pour me maintenir vivant en attendant que mes parents paient la rançon, ce cinglé de Berk mit le pied sur un nid de fourmis carnivores...

Je n'eus jamais mon eau.

J'avais de plus en plus soif, et je maudissais saint Pierre qui m'avait envoyé dans un pays aussi sec, où je risquais de finir avec la peau comme de l'écorce de mimosa ! Mais enfin, ce n'était peut-être pas de soif que je mourrais : mises en appétit, les fourmis, en une colonne impressionnante, se dirigeaient maintenant vers moi.

C'est alors qu'arriva un chien, sympa, qui entreprit de ronger mes liens et me sauva des fourmis.

Je ne voyais plus mon méhari, et chacun sait qu'il est impossible de traverser le désert sans chameau. J'avais faim et soif, il ne me restait plus une seule datte. J'étais vraiment désespéré, et pour tout dire, je commençais à trouver cette vie pas géniale, lorsqu'un nuage de sauterelles s'abattit sur nous.

Je capturai celles qui se trouvaient à ma portée, et les fis cuire sur un feu de crottes laissées dans le coin par mon méhari, puis je partageai avec le chien. (Tiens ! là, je n'étais plus végétarien. Il faut dire que dans le désert, on ne peut pas se permettre d'avoir trop de principes.)

Était-ce la bonne odeur des sauterelles grillées dont il raffolait ? Mon méhari revint vers moi. Je dis adieu au chien, qui préférait rester dans le bois de mimosas où le sable était moins chaud et, malgré le mal de mer, je remontai en selle en demandant au chameau de me trouver en vitesse un peu d'eau, avant que mes lèvres ne se collent et que je ne puisse plus ouvrir la bouche.

Le soleil était au plus haut lorsque j'aperçus enfin un de ces trous d'eau qu'on appelle un marigot. Mon méhari y courut, puis s'arrêta net. Je repérai alors, sur le bord de l'eau, un dos brun et écailleux. Flûte ! Ce marigot était la propriété d'une famille de crocodiles.

Ils furent d'accord pour que je boive, à condition qu'après ils me mangent. Donnant, donnant. Je ne sais pas pourquoi, cet accord ne me plaisait pas trop. Je leur fis remarquer que je n'avais que dix ans, qu'il n'y avait encore pas grand-chose à manger sur mes pauvres os et que leur intérêt était donc de me laisser grandir.

Ah les brutes ! Sans attendre que le moindre accord entre nous soit signé, voilà qu'ils se précipitent sur moi.

Heureusement que je ne montais pas un simple chameau, mais un méhari de course... qui démarra au quart de tour, en flanquant un bon coup de pied dans la mâchoire du père croco, le laissant estourbi sur le bord du marigot.

La bouche sèche, le gosier en feu, je repris ma route. Ma soif avait même été attisée par la vue de ce maudit marigot. Mon méhari marcha jusqu'au soir sans rencontrer le moindre point d'eau. Ah ! je le retenais, saint Pierre, avec sa chaleur ! Il ne connaissait aucune mesure : il ignorait la différence entre chaleur et canicule.

Forcément, au ciel, le climat est tempéré. Je repensai avec regret à mon métier de garçon de café, que je n'avais pas su apprécier à sa juste valeur.

Le méhari n'avait pas l'air de souffrir autant que moi de la soif, la suite me le confirma. Alors que j'apercevais enfin les palmiers de mon oasis, voilà que ce chameau de méhari aperçoit, lui, une petite méhari blanche, très élégante je dois le reconnaître. Au lieu d'aller vers l'eau, il se dirige vers elle, en tortillant de l'arrière-train pour faire l'intéressant.

Impossible de lui faire entendre raison, et j'étais sûr que si je restais une minute de plus sans boire, j'en mourrais aussi sec (!). Sans réfléchir et sans chaussures (évidemment), je sautai à terre pour courir à l'oasis.

Le sable était brûlant. On ne le dira jamais assez : il ne faut pas marcher pieds nus dans le désert. Je me rôtis atrocement les pieds.

Ma mère me soigna tout de suite avec des crèmes et des onguents. Hélas, rien n'y fit. Alors que j'avais échappé à ce débile de Berk, aux fourmis, à la soif, aux crocodiles, mes blessures s'infectèrent...

On n'imagine pas mourir plus bêtement.

J'arrivai au ciel en pleine effervescence, en même temps qu'une cohorte d'enfants victimes d'une épidémie de choléra infantile. Comme je n'avais que dix ans, je me glissai parmi eux.

Saint Pierre ne savait plus où donner de la tête pour séparer les gentils qui avaient droit au paradis directement, des moins gentils, qui devraient faire un peu de pénitence. Il essaya de procéder par ordre et demanda :

– Que tous ceux qui ont déjà, au moins une fois, désobéi à leurs parents se mettent à gauche.

Tout le monde se mit à gauche, sauf un qui resta à droite. Nous nous retournâmes tous pour le regarder : cet enfant était un saint, et nous n'en avions jamais vu auparavant. Lui, il nous observait avec curiosité, et nous avons sur le coup pensé qu'il nous jugeait mal. Saint Pierre resta un moment étonné, puis il s'exclama :

– Ah ! C'est le petit sourd !

Il demanda à un des anges de lui parler par le langage des signes, et quand le petit sourd comprit ce qu'on lui demandait, il nous rejoignit.

Comme je connaissais déjà l'endroit et que le tri risquait d'être un peu long, j'allai tout de suite tirer saint Pierre par la manche :

– Cette vie était vraiment nulle, rouspétai-je, parce que...

Il ne me laissa pas finir. Il leva un doigt sévère et me dit :

– Tu as eu sept vies, ça suffit. Personne n'a droit à plus que ça, en aucun cas.

Alors ça c'était un peu fort ! Je n'avais pas eu une vie qui rachète l'autre, elles avaient toutes été gâchées par mes problèmes de pieds ! J'avais quand même droit au moins à UNE vie sans souffrir des pieds !

– Tu n'as pas droit à plus de sept vies, insista saint Pierre. File au magasin général chercher ton costume.

Et il me fit un geste autoritaire du bras, pour me désigner l'endroit.

Ça va, ça va... je connais.

Le magasinier était débordé, parce qu'il n'avait pas prévu assez de petites tailles, et il espérait bien que saint Pierre renverrait quelques-uns des nouveaux arrivants sur terre.

Je me proposai immédiatement, mais le couperet tomba aussitôt : il me chanta la même rengaine que saint Pierre : « Tu n'as pas droit à plus de sept vies. »

– D'ailleurs, ajouta-t-il, pour éviter des cas comme le tien, maintenant on prépare des paquetages.

– Quel genre de paquetages ? demandai-je.

– Eh bien, on met dans un grand sac tout ce qu'il faut à celui qui repart pour une nouvelle vie. Cela lui évite les mauvaises surprises.

– Ah bon ? Je peux voir ?

Le magasinier ouvrit la porte de derrière et me montra une rangée de sacs blancs, genre sac de marin. J'en pris un pour me rendre compte de ce qu'il pouvait y avoir dedans. Je n'eus même pas le temps de l'ouvrir : saint Pierre entra par l'autre porte, ce qui provoqua un courant d'air effrayant… qui nous renvoya, le sac et moi, sur terre.

JE NE SAIS PLUS OÙ DONNER DE LA TÊTE

Me voilà je ne sais où.

Avec à la main un sac de marin, je supposai que je devais m'engager dans la marine, et je craignais déjà le mal de mer.

Mais enfin, je ne pouvais me retourner contre personne : ce qui m'arrivait là était accidentel. Je me rendis donc au port le plus proche.

C'est là que je remarquai que les marins des magnifiques bateaux (sur lesquels je n'avais aucune envie de mettre les pieds) portaient des bonnets avec des pompons rouges. Je fouillai dans mon paquetage, et trouvai effectivement sur le dessus un bonnet.

Les marins se moquèrent de moi en le voyant : mais non ! ce n'était pas un bonnet de marin ! Cela ressemblait plutôt aux bonnets que portent les bûcherons.

Bûcheron... L'idée d'être bûcheron, je dois le dire, m'inquiéta un peu. Surtout à cause de ma maladresse légendaire. La seule vraie question qui se poserait alors était : avec une hache à la main et les capacités qui me caractérisaient, qui tuerais-je en premier ? Moi-même ou un camarade ?

Le cœur un peu serré, je me traînai jusqu'au Canada.

Un moment, je restai là à observer ces grands costauds qui vous abattent un arbre énorme comme rien, et tâtai avec inquiétude les muscles de mes bras, lorsque je songeai opportunément qu'il me fallait aussi, pour faire ce métier, une grosse veste rembourrée. Or, dans mon paquetage, je ne vis qu'une sorte de grand manteau. Je le montrai à un bûcheron qui me dit :

– Tu n'es sûrement pas affecté à notre équipe. Avec un manteau comme ça, tu dois être cosaque !

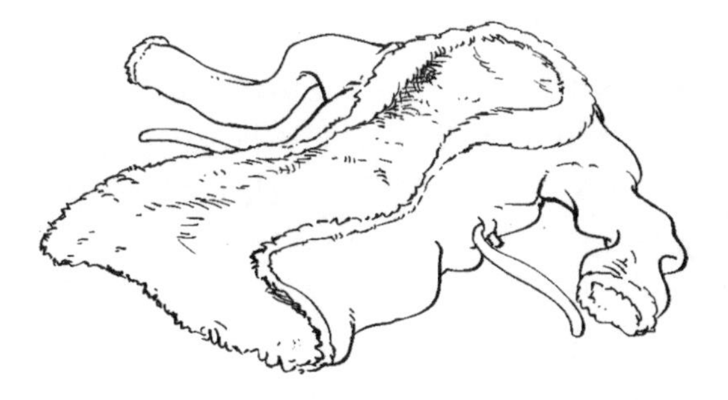

J'ignorais ce qu'était un cosaque ; je me dirigeai donc vers la bibliothèque pour consulter le dictionnaire. C'est là que j'appris qu'un cosaque était un soldat russe, ce qui me fit, je dois le dire, un effet détestable. Soldat, merci, j'avais déjà donné !

Mais comme tout cela n'était la faute de personne (vous le savez aussi bien que moi), je dus prendre sur moi pour assumer mon destin, et me voilà parti pour la Russie.

Les cosaques rigolèrent bien : ils trouvaient que mon manteau pouvait aller (et encore !) mais que les chaussures ne convenaient pas du tout à ce métier. Ici, on portait des bottes, de solides bottes de cuir. Ah bon ! J'étais plutôt soulagé... Parce que moi, dans mon paquetage, il n'y avait que des chaussons de feutre.

– Ce sont des chaussons de paysan, ça, m'affirma le chef cosaque, de ces chaussons qu'on glisse dans les sabots de bois.

Bah ! paysan, pourquoi pas ? J'avais connu plus difficile.

Je filai donc à la campagne, tout en m'appliquant à observer les champs et les prés, histoire de voir si je saurais reconnaître les plantes. Je me rendis compte que j'étais vraiment très ignorant... toutefois je pouvais apprendre. La seule chose qui m'inquiétait, c'est qu'il ne fallait pas compter sur moi pour tracer un sillon droit, vous ne l'ignorez pas. Je tentai de me rassurer en me répétant que, ici, il y avait plus d'espace que dans mon oasis du Sahara, et que cela avait peut-être moins d'importance.

Vous me croirez si vous voulez : les paysans ne voulurent pas de moi. D'après eux, ces chaussons ne convenaient pas du tout, c'étaient des chaussons qui ne toléraient ni boue ni eau ; en bref, c'étaient des chaussons de paresseux.

Je décidai donc, avant toute autre démarche, de faire l'inventaire complet de ce qui restait dans mon sac, cela me donnerait peut-être une idée plus précise de mon futur métier.

Ce que je trouvai sous les chaussons me laissa perplexe : c'était un chat. Comme vous le savez, j'avais à plusieurs reprises eu des chiens dans mes vies antérieures, mais des chats, jamais.

Qu'est-ce que saint Pierre avait eu derrière la tête pour prévoir un paquetage pareil ? Est-ce qu'éleveur de chats était un métier ?

Sous le chat, j'aperçus une feuille, et même plusieurs feuilles de papier (pour faire sa litière ?) puis des crayons, des tas de crayons de toutes sortes. Allons bon ! Je serais donc maître d'école ?

Ensuite, il y avait un grand bureau... Architecte, peut-être ? Ça me plairait bien...

C'est la découverte du petit chauffage électrique et de la chaise bien rembourrée qui me mit la puce à l'oreille. Je regardai alors plus attentivement le manteau, et reconnus que c'était en fait une robe de chambre !

Pour quel métier aurais-je besoin d'un bonnet, d'une robe de chambre, de chaussons, d'un chat, de papier et de crayons, d'une table, d'un radiateur et d'une chaise bien rembourrée ?

Bien sûr ! J'étais écrivain ! Mon travail serait d'imaginer des histoires, bien au chaud, les deux pieds dans de confortables chaussons. Je pourrai m'inventer toutes les vies que je voudrai !

Je caressai le chat d'un air rêveur, puis me frottai les mains de plaisir : c'est sans le vouloir que saint Pierre m'avait trouvé exactement ce qu'il me fallait.

... Et maintenant, je pouvais vivre sept vies, et même plus, sans avoir mal aux pieds !

INFORMATIONS
Cascade

MA BOHÈME
(Fantaisie)

Je m'en allais, les poings dans mes poches crevées ;
Mon paletot aussi devenait idéal ;
J'allais sous le ciel, Muse ! et j'étais ton féal ;
Oh ! là là ! que d'amours splendides j'ai rêvées !

Mon unique culotte avait un large trou.
– Petit-Poucet rêveur, j'égrenais dans ma course
Des rimes. Mon auberge était à la Grande-Ourse.
– Mes étoiles au ciel avaient un doux frou-frou.

Et je les écoutais, assis au bord des routes,
Ces bons soirs de septembre où je sentais des gouttes
De rosée à mon front, comme un vin de vigueur ;

Où, rimant au milieu des ombres fantastiques,
Comme des lyres, je tirais les élastiques
De mes souliers blessés, un pied près de mon cœur !

Arthur Rimbaud
Poésies

PIED À PIED

Le pied comprend vingt-six os, dix-neuf muscles, trente-trois articulations, cinquante-six ligaments, cinq cents vaisseaux sanguins et cinq cents terminaisons nerveuses.

Il existe trois types de pieds :

- Le pied égyptien est le plus courant : le gros orteil est plus long que les autres.
- Le pied carré : les trois premiers orteils ont la même longueur.
- Le pied grec : le deuxième orteil est le plus long. C'est le type de pied le plus rare, et c'est pourtant celui qui sert de modèle pour la fabrication des chaussures !

Quant aux personnes qui possèdent six orteils aux pieds, elles ont, dit-on, de la chance toute leur vie… à condition de trouver chaussure à leur pied, naturellement !

Dans toutes les civilisations, les pieds ont une grande importance car ils relient l'homme à la terre. Les conquérants d'une terre inconnue y laissent l'empreinte de leur pied pour marquer leur prise de possession. Et pour affirmer sa victoire, on pose le pied sur son ennemi à terre.

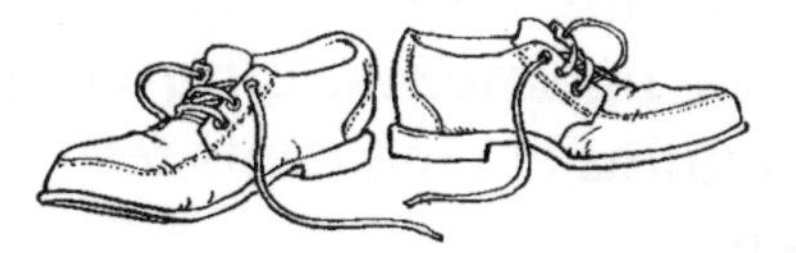

Se lever du pied gauche, entrer ou sortir d'un endroit du même pied est, paraît-il, de très mauvais augure. Dans les riches familles romaines, un esclave avait pour tâche de se tenir près de l'entrée et de veiller à ce que les visiteurs se présentent du pied droit. De nos jours, en Angleterre, les footballeurs superstitieux pénètrent toujours sur le terrain du pied gauche.

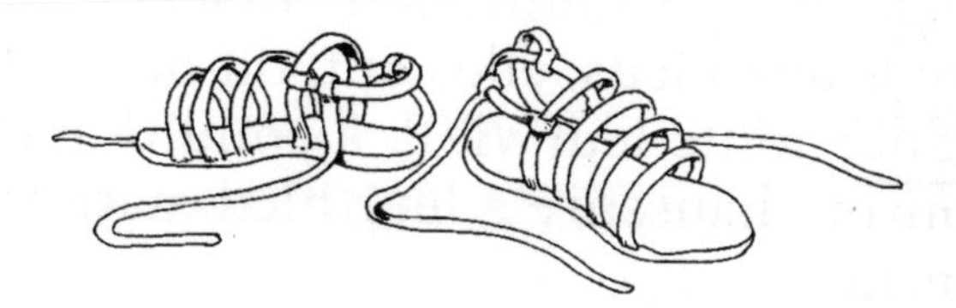

AU PIED LEVÉ

Attendre de pied ferme : avec patience et détermination.

Au pied levé : à l'improviste, sans préparation.

Avoir bon pied, bon œil : être en forme.

Avoir pied : toucher le fond en gardant la tête hors de l'eau.

Avoir un pied-à-terre : logement que l'on occupe en passant.

Casser les pieds à quelqu'un : l'embêter.

Couper l'herbe sous le pied : devancer quelqu'un, l'empêcher de faire quelque chose.

Être bête comme ses pieds : être très bête.

Faire des pieds et des mains : employer tous les moyens.

Faire le pied de grue : attendre longtemps debout.

Faire un pied de nez : un geste de dérision qui consiste à étendre la main, doigts écartés en appuyant le pouce sur son nez.

Jouer comme un pied : mal jouer.

Lâcher pied : céder devant un adversaire.

Marcher sur les pieds de quelqu'un : chercher à l'évincer.

Mettre à pied : renvoyer, licencier.

Mettre les pieds dans le plat : faire une gaffe, intervenir dans un conflit.

Ne pas savoir sur quel pied danser : ne pas savoir quelle attitude, ou quelle résolution prendre.

Sauter à cloche-pied : sauter sur un pied.

Se lever du pied gauche : de mauvaise humeur.

Trouver chaussure à son pied : trouver ce qui convient.

CHAUSSURE À SON PIED

Le mot « chaussure » vient du latin *calceus* et désigne la pièce d'habillement qui entoure et protège le pied. Les premières chaussures étaient sans doute faites d'un morceau de peau de bête que les chasseurs de la Préhistoire maintenaient avec des liens et garnissaient de foin séché. Puis, dans du cuir ou de l'écorce, on a découpé des semelles auxquelles on fixait des lanières. Ce furent les premières sandales.

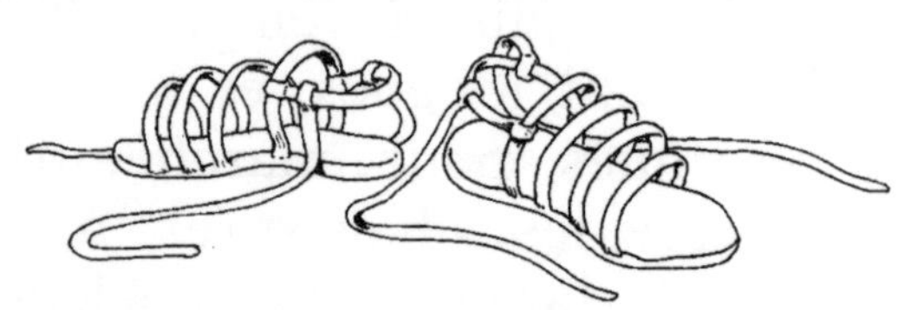

Plus tard, on a recouvert le dessus de cuir souple ou de tissu et, le cuir montant de plus en plus haut sur la jambe, on a inventé les bottes.

Les modes changent

Très rapidement, les chaussures ont marqué la condition sociale des gens. En Grèce, les hommes et les femmes portaient des cothurnes d'une hauteur vertigineuse pour se grandir et se donner un maintien plus noble.
Au temps des Mérovingiens, le premier cadeau d'un jeune homme à sa fiancée était une paire de chaussures. Marcher pieds nus était signe de pauvreté et l'expression « va-nu-pieds » plutôt injurieuse.

Les poulaines du Moyen Âge étaient démesurément longues, et tout aussi peu pratiques pour marcher. À la Renaissance, les chaussures à bout carré et très larges, sont appelées « à pied d'ours ». Les élégantes avaient des souliers à deux talons, dont un sous la voûte du pied, ce qui n'était guère commode...

Louis XII portait des chaussures de velours avec des crevés décoratifs (fentes qui laissent apercevoir la doublure), les gentilhommes de la cour d'Henri IV les ornaient de rubans et de perles.
Il n'était pas question pour une femme du XIXe siècle de sortir autrement qu'en bottines, les souliers ouverts étant réservés à la maison.

À chacun ses chaussures

Des souliers, il en existe pour tous les goûts et tous les moments de la vie. Pour se détendre à la maison, rien ne vaut une bonne paire de pantoufles, de chaussons, de charentaises, de mules ou de babouches. Les savates sont confortables mais font un peu négligé.

Pour aller à l'école, une paire de mocassins ou de sandales, selon la saison, feront très bien l'affaire, quoique la plupart des jeunes actuellement préfèrent les tennis ou les baskets, autrefois réservés au sport.
Par temps froid ou pluvieux, les frileux enfileront bottes, bottines ou bottillons, laissant les galoches, godillots et autres brodequins aux militaires.

Les socques et les sabots sont réservés à la campagne, les espadrilles aux pays chauds, les escarpins et les chaussures vernies se montrent plutôt dans les salons. Par contre mieux vaut éviter les croquenots, godasses, grolles, péniches, pompes et autres tatanes qui manquent de distinction.

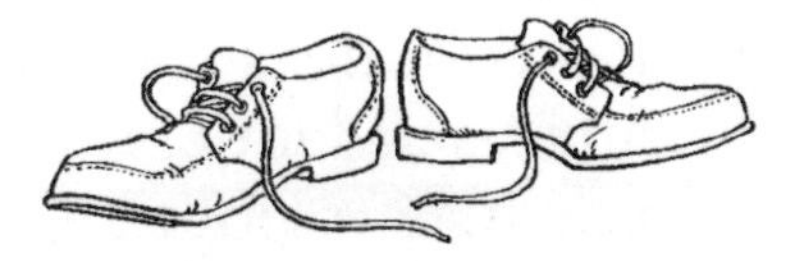

LE SAVEZ-VOUS ?

Le mot de cordonnier pour désigner l'homme qui répare les chaussures est un mot récent. En vieux français, on l'appelait le *sueur*, du latin *sutor* qui veut dire coudre. Le *cordoanier*, du mot *cordoan* ou cuir de Cordoue, était l'artisan qui travaillait le cuir.

Pendant les guerres, les soldats devaient beaucoup marcher et usaient rapidement leurs chaussures, ce qui était un gros problème pour l'intendance militaire. Pendant la Révolution française, en 1793, les habitants de Rennes durent donner leurs souliers pour chausser les soldats et se contenter de sabots. Sous l'Empire, Napoléon dit à son ministre Cambacérès : « Si l'on ne peut avoir de souliers, qu'on prenne du cuir, avec lequel nos soldats sont assez industrieux pour se raccommoder leurs vieux souliers. »

MAL AUX PIEDS, MAL AU DOS...

Avoir mal aux pieds, au ventre ou à la tête, ce n'est jamais agréable. La douleur n'est pas une maladie en elle-même, c'est un signal d'alarme qui dit que quelque chose va de travers dans le corps.

Pourquoi a-t-on mal ?

On peut avoir mal parce qu'on s'est coupé, qu'on a reçu un coup ou qu'on s'est brûlé... La cause de la douleur est alors bien visible et il est important de soigner la plaie en la désinfectant. Lorsque la blessure est superficielle, la douleur passe rapidement.
Mais il y a des douleurs dont la cause n'est pas visible :

• les douleurs musculaires, comme les courbatures dues à un effort important : elles passent en général toutes seules.

• les tendinites qui surviennent à la suite d'un exercice physique trop intensif ou mal effectué ; elles touchent souvent les sportifs et sont longues à soigner.
• les douleurs provoquées par un traumatisme des articulations (entorses, luxations), des os (fractures) sont très vives, et nécessitent un traitement médical.

Les douleurs qui durent

Certaines douleurs s'installent pour longtemps, comme celles qui sont dues aux rhumatismes, ou les douleurs dorsales, que l'on ne sait pas vraiment soigner. Les maux de tête et les maux de ventre sont souvent les signes précurseurs d'une maladie, mais certaines personnes en souffrent régulièrement sans que l'on sache pourquoi.

Qu'est-ce que la douleur ?

La douleur est une sensation pénible, c'est-à-dire un message douloureux envoyé par notre corps au cerveau. Il part des innombrables terminaisons nerveuses qui se trouvent sous la peau et dans tous les organes. Lorsqu'on reçoit un coup, par exemple, elles transmettent un signal d'agression le long des nerfs jusqu'à la moelle épinière, dans la colonne vertébrale, qui le conduit ensuite jusqu'au cerveau. Et c'est à ce moment-là seulement que la personne ressent la douleur et qu'elle en cherche la cause pour la calmer.

Soigner la douleur

Il faut bien sûr s'attaquer à la cause de la douleur pour supprimer celle-ci de façon définitive mais certains médicaments, comme l'aspirine ou le paracétamol, permettent de « l'endormir » en attendant que le traitement du médecin fasse son effet. D'autres médicaments plus forts, comme la morphine, agissent directement sur le cerveau et sont réservés aux maladies graves.
Le froid et la chaleur calment aussi la douleur : une poche de glace sur une entorse ou une bonne bouillotte sur le ventre peuvent soulager de manière efficace.

LES CHIENS

Le chien est l'un des premiers animaux domestiqués par l'homme. Était-il plutôt loup, plutôt chacal ou plutôt coyote ? Difficile à dire... Sans doute les chasseurs de la Préhistoire avaient-ils remarqué que ces animaux faisaient d'excellents rabatteurs de gibier et rôdaient volontiers autour des camps, attirés par les reliefs des repas. Il suffisait de leur lancer quelques os et ils revenaient, s'approchaient, s'apprivoisaient peu à peu.

La longue histoire d'amitié entre l'homme et le chien pouvait commencer. Doués pour la chasse, les chiens

sont aussi d'excellents bergers et des gardiens efficaces, qualités qui sont utilisées dès les débuts de l'agriculture.
Leur fidélité est touchante et le poète grec Homère raconte comment le chien d'Ulysse, devenu très vieux, a attendu le retour de son maître pour mourir.
Les Égyptiens ont une grande vénération pour leurs chiens qu'ils momifient et enterrent dans des tombes après leur mort.
Chez les Grecs, Cerbère, le chien à trois têtes, est le redoutable gardien des Enfers.

Les Romains se méfient un peu des chiens et pensent qu'ils ont une influence néfaste sur la santé, peut-être à cause d'épidémies de rage. Il n'empêche que toute maison qui se respecte a son chien de garde, représenté en mosaïque sur le seuil avec l'inscription *Cave canem,* « Attention au chien ». Les Romains exploitent l'agressivité de certaines races de molosses qu'ils conduisent à la guerre, munis de colliers hérissés de lames tranchantes.

Les seigneurs du Moyen Âge préfèrent utiliser les chiens pour la chasse. Les races ne sont pas les mêmes selon le gibier traqué, cerf, lièvre ou renard, et les plus riches possèdent des meutes de plusieurs centaines d'animaux. Au château, les fines levrettes, les minuscules bichons, les griffons et les épagneuls tiennent compagnie aux dames et aux enfants. Ils dorment sur le lit de leurs maîtres et sont représentés sur leur tombe. Au XVe siècle, les chiens qui gardent le Mont-Saint-Michel ont le statut de fonctionnaires et touchent une pension.

En Chine, les pékinois de l'empereur ont une garde spéciale et quiconque leur fait du mal est puni de mort. Les Chinois pensaient d'ailleurs que les chiens avaient sept vies successives.

Au cours des siècles, les éleveurs ont sélectionné les animaux les plus beaux ou les plus curieux pour les croiser avec d'autres et créer de nouvelles races. Il existe aujourd'hui deux cent trente races officiellement reconnues.

SAINT PIERRE

Saint Pierre s'appelait en réalité Simon. Il habitait à Capharnaüm en Palestine et était pêcheur sur le lac de Généraseth.
Il fut l'un des douze apôtres, c'est-à-dire l'un des douze hommes choisis par Jésus pour l'accompagner à travers la Palestine, voyage au cours duquel Jésus expliquait aux gens, à l'aide d'histoires simples, comment vivre selon la volonté de Dieu.
Avant de mourir, Jésus confia aux apôtres la mission de porter sa parole à travers le monde entier et il demanda à Simon d'être leur chef. Il lui dit : « Tu es Pierre, et sur cette pierre je bâtirai mon église. » Depuis ce jour, on appela Simon, Pierre.

C'est ainsi que Simon-Pierre à la tête des apôtres a fondé la première église chrétienne. Il mourut à Rome en l'an 64, crucifié la tête en bas.
Aujourd'hui, les évêques sont les successeurs des apôtres, ils ont la charge de gouverner l'Église sous l'autorité du pape, qui est le successeur de Pierre.
Saint Pierre étant celui en qui Jésus avait le plus confiance, la légende en a fait le responsable de l'entrée du paradis dont il garde les clefs.

Ces dossiers ont été réalisés en collaboration avec Nicole Bustarret.

L'AUTEUR

Originaire de Bretagne, Évelyne Brisou-Pellen vit à Rennes avec sa famille après avoir passé sa petite enfance au Maroc.
Elle poursuit des études de lettres afin de se consacrer à l'enseignement. Mais l'éducation de ses deux garçons puis la découverte et la passion de l'écriture la détournent d'une carrière de professeur. Aujourd'hui elle n'en rencontre pas moins beaucoup d'enfants et d'adolescents dans les classes lors des nombreuses animations qui sont organisées autour de ses romans.

L'ILLUSTRATEUR

Michel Riu est né à Paris en 1956 mais ses racines sont catalanes.
Après quatre années d'études de dessin à Bruxelles, il revient en région parisienne. Il se consacre alors plus particulièrement à la bande dessinée et fait paraître quelques albums.
Il réalise aussi des illustrations pour différentes revues et se passionne pour le livre de jeunesse. Il anime parfois des ateliers dans des écoles ou des bibliothèques où il fait partager son goût pour l'image dessinée. Aux beaux jours, il apprécie particulièrement pouvoir faire des aquarelles d'après nature que ce soit en ville ou en campagne.

COLLECTION

Cascade

7 - 8

ATTENTION PETIT MONSTRE
Gilles Fresse.

CHAMPIONS LES ROLLERS !
Chantal Cahour.

COMMENT DEVENIR PARFAIT EN TROIS JOURS
Stephen Manes.

COMMENT VIVRE 7 VIES SANS AVOIR MAL AUX PIEDS
Évelyne Brisou-Pellen.

DEUX MAÎTRESSES POUR UNE RENTRÉE
Stéphane Daniel.

DRÔLES D'ANNIVERSAIRES
Dian C. Regan.

UN FANTÔME EN CLASSE VERTE
Sandrine Pernusch.

LE FILS DES LOUPS
Alain Surget.

HUGO ET LES LAPINS
Anne Sibran.

INSPECTEUR CATASTROPHE
Gilles Fresse.

LOULOU LA MENACE
Chantal Cahour.

MYSTÈRE ET CHARCHAFOUILLE
Jean Alessandrini.

MYSTÈRE EXPRESS
Jean Alessandrini.

OPÉRATION CALEÇON AU CE2
Catherine Missonnier.

PAPY RETOURNE À L'ÉCOLE
Béatrice Rouer.

LES PATATES MAGIQUES
Geneviève Senger.

LA PÊCHE AUX DOIGTS DE SORCIÈRES
Béatrice Rouer.

PETIT FÉROCE CHAMPION DE LA JUNGLE
Paul Thiès.

PETIT FÉROCE DEVIENDRA GRAND
Paul Thiès.

PETIT FÉROCE EST UN GÉNIE
Paul Thiès.

PETIT FÉROCE N'A PEUR DE RIEN
Paul Thiès.

PETIT FÉROCE VA À L'ÉCOLE
Paul Thiès.

LA PISTE DES CARIBOUS
Annie Paquet.

POMME A DES PÉPINS
Béatrice Rouer.

UNE POTION MAGIQUE POUR LA MAÎTRESSE
Gilles Fresse.

LA PRINCESSE AUX CHEVEUX VERTS
Paul Thiès.

LE ROCK DE LA MAÎTRESSE
Gilles Fresse.

LE SERPENT D'ANAÏS
Gabrielle Charbonnet.

SITA ET LA RIVIÈRE
Ruskin Bond.

LA SORCIÈRE EST DANS L'ASCENSEUR
Paul Thiès.

SUPERMAN CONTRE CE2
Catherine Missonnier.

SURPRISE AU BRIC-À-BRAC
Chantal Cahour.

LE TRÉSOR DES DEUX CHOUETTES
Évelyne Brisou-Pellen.

VACANCES SORCIÈRES
Catherine Missonnier.

LE VRAI PRINCE THIBAULT
Évelyne Brisou-Pellen.

LA VRAIE PRINCESSE AURORE
Évelyne Brisou-Pellen.

COLLECTION

Cascade

9 - 10

UNE AMIE GÉNIALE
Sandrine Pernusch.
L'ATTAQUE DE L'OURS
Alain Surget.
AU BOUT DU CERF-VOLANT
Hélène Montardre.
AU SECOURS MÉLUSINE !
Yvon Mauffret.
LES AVENTURES D'UN CHIEN PERDU
Dagmar Galin.
BILLY CROCODILE
Yves-Marie Clément.
CET ÉTÉ, ON DÉMÉNAGE
Anne-Marie Desplat-Duc.
CHUT... SECRET DE FAMILLE
Marie Dufeutrel.
CLAIR DE LOUP
Thierry Lenain.
CLASSE DE LUNE
François Sautereau.
LES CM2 À LA UNE
Catherine Missonnier.
LA COURSE AUX RECORDS
Lorris Murail.
DEUX POISONS DANS L'EAU
Chantal Cahour.
LES DISPARUS DE FORT BOYARD
Alain Surget.
L'ENFANT CHEVREUIL
Roger Judenne.
ENQUÊTE ET PATINS À ROULETTES
Alice Hulot.
EXTRATERRESTRE APPELLE CM1
Catherine Missonnier.
LE GOUFFRE AUX FANTÔMES
Alain Surget.
LA GUERRE DE RÉBECCA
Sigrid Heuck.
LA GUERRE DES POIREAUX
Christian Grenier.
HISTOIRE DE LUCIEN
François Charles.
L'ÎLE AUX TORTUES
Michel Girin.
L'INCONNU DU QUATRIÈME
Alice Hulot.
J'AIME PAS LA NATURE
Gérard Bialestowski.
LE JOURNAL SECRET DE MARINE
Sandrine Pernusch.
LE LÉVRIER DU PHARAON
Roger Judenne.
MON VOISIN EST UN PIRATE
Hervé Fontanières.
LE MOUSSE DU BATEAU PERDU
Yvon Mauffret.
MYSTÈRE À CARNAC
Michel-Aimé Baudouy.
MYSTÈRE AU CHOCOLAT
Didier Herlem.
UN MYSTÈRE PRESQUE PARFAIT
Didier Herlem.
ON T'AIME CHARLOTTE
Sandrine Pernusch.
PARIS-AFRIQUE
Yves Pinguilly.
PING-PONG AU CAMPING
Stéphane Daniel.
LA PLUS GRANDE LETTRE DU MONDE
Nicole Schneegans.
POUR UN PETIT CHIEN GRIS
Yvon Mauffret.
PREMIER EN FOOT
Catherine Missonnier.
LE SECRET DE L'OISEAU BLESSÉ
Betsy Byars.
SECRETS DE SORCIÈRES
Alice Hulot.
TOUCHE PAS À MON PÈRE
Chantal Cahour.
VIVE LES PUNITIONS !
Guy Jimenes.

COLLECTION

Cascade

CASCADE POLICIER JUNIOR

Achevé d'imprimer en juillet 1997
sur les presses de l'Imprimerie Hérissey
à Évreux (Eure)
Dépôt légal : août 1997
N° d'édition : 2936
N° d'imprimeur : 77612

BRISOU, Evelyne

Comment vivre 7 vies sans avoir mal aux Piéds